CB033344

# VIVENDO E APRENDENDO

Roberto Shinyashiki

VIVENDO E

# APRENDENDO

Dedico este livro a todas as pessoas que têm a sabedoria de aprender as lições da vida.

# introdução

**As pessoas que admiro** são aquelas que transformam aprendizado em sabedoria.

Elas **vivem** intensamente, **aprendem** rápido e **não demoram** a colocar em prática as lições da vida.

**Prefiro viver aprendendo sempre,** ainda que essa atitude muitas vezes me custe algumas escoriações no coração.

Meu amigo Alfredo Weiszflog me contou uma **história deliciosa**:

Um senhor, já com 94 anos, estava em seu leito de morte. A família chamou duas senhoras para rezar por ele, encomendando sua alma.

**De repente,** uma delas notou que a vela estava acabando.
Depois de procurar e não achar mais velas, a mais nova perguntou à outra:

— O que vamos fazer? Não tem mais vela!

— Já procurou na cozinha?

— Sim... Não achei nada!

— Procure no banheiro...

— Já fui, mas não tem também!

*Então, com um ar professoral, a mais velha ordenou:*

— Coloque um pouco de sal na vela, que ela dura mais. Assim ganhamos tempo para irmos ao supermercado e comprar mais.

— É mesmo! Você tem razão! Vou até a cozinha pegar o sal...

De repente, o velhinho moribundo abriu os olhos e, com a voz quase desaparecendo, balbuciou:

— Quem diria que o sal prolonga o tempo da vela?... Vivendo e aprendendo!

**Não importa** se você tem **20** ou **94 anos.**

O fundamental é estar sempre aprendendo e realizando.

Este livro contém algumas das mais lindas lições que a vida me ensinou.

**Que ele ajude você também a realizar os seus sonhos.**

Um abraço carinhoso,

**Roberto Shinyashiki**

P.S.: Escute os Beatles cantando *In my life* antes de ler o livro.

Preste atenção especial à letra. Vale a pena!

Diga **"Eu te amo"** para as pessoas que você ama

Desde a adolescência, eu brigava muito com meu pai, mas ele sempre foi muito paciente comigo.

Um dia, resolvi que **já era tempo de mostrar o meu amor por ele** e decidi lhe abrir o meu coração na primeira vez em que nos encontrássemos.

E isso aconteceu num fim de semana, em sua casa. Eu já estava lá, sozinho, quando ele chegou. *Almoçamos juntos, e cada vez que procurava falar do meu afeto a minha voz travava e eu mudava de assunto.*

— Pai...

— Que é?

— Passe o sal, por favor.

— Pai...

— Que é?

— Passe a salada.

Quando terminamos o almoço, ele foi dormir, e eu me senti um covarde, mas prometi a mim mesmo que falaria assim que acordasse.

Ao se levantar, ele foi cuidar do galinheiro, como sempre fazia. Eu o acompanhei.

— Pai...

— Que é?

— Passe o martelo.

Lanchamos juntos e o assunto continuava travado em minha garganta. **Como era difícil falar de amor a uma das pessoas a quem eu mais amava!**

Quando meu pai estava para sair, percebi que não poderia adiar mais. Olhei para ele com a melhor cara que consegui e falei:

**— Pai, eu amo você.**

No momento em que falei essa frase, as lágrimas começaram a rolar pelo meu rosto, o choro correu solto, e aflorou uma súbita compreensão de sua maneira de me amar ao longo dos anos.

**Meu pai somente me olhava em silêncio.**

Nessa época, eu cursava a faculdade de Medicina. Já estava em condições de me sustentar e, por isso, havia dispensado a mesada que recebia. Para minha surpresa, meu pai interrompeu a minha fala e disse:

— Filho, se você está precisando que eu volte a lhe dar dinheiro, tudo bem, não tem problema, a gente se aperta e acaba dando um jeito.

Fiquei atônito. Com raiva, concluí que **ele não compreendia o amor que eu sentia,** e só pensava em dinheiro.

Alguns meses depois, num sábado, ficamos novamente juntos, almoçamos, ele dormiu, cuidamos do galinheiro, lanchamos, meu pai se aprontou e nos despedimos. Ele tirou o carro da garagem. De repente, ouvi a buzina de seu automóvel, como se me chamasse. Fui até a janela da casa, e ele acenou para mim.

Aproximei-me do carro, meu pai abriu o vidro e me falou:

**— Sabe, filho, o que você disse naquele dia foi a coisa mais importante da minha vida.**

Ao completar a frase, engatou a marcha e saiu voando...

Surpreso, eu me dei conta de quanto deve ter sido difícil para ele abrir o coração e aceitar minha declaração de amor. Meu pai teve uma vida muito dura, pois ficou órfão aos 7 anos de idade, teve de trabalhar desde cedo para sobreviver e certamente *aprendeu a esconder a sensibilidade para não sofrer*.

Sempre sofri porque meu pai nunca foi de dar abraços e carinhos, mas naquele dia compreendi que a sua dedicação para que nada faltasse em casa foi uma das formas que ele encontrou de demonstrar o seu amor por mim.

Depois daqueles dias em que pudemos demonstrar nosso afeto, deixamos cair as barreiras que escondiam nossos sentimentos. **Nunca mais nossas vidas foram as mesmas.** A partir daquele momento, abrir o coração deixou de ser proibido.

**Com meu pai aprendi que dizer eu te amo para as pessoas que amamos às vezes dá muito trabalho, mas o resultado é maravilhoso.**

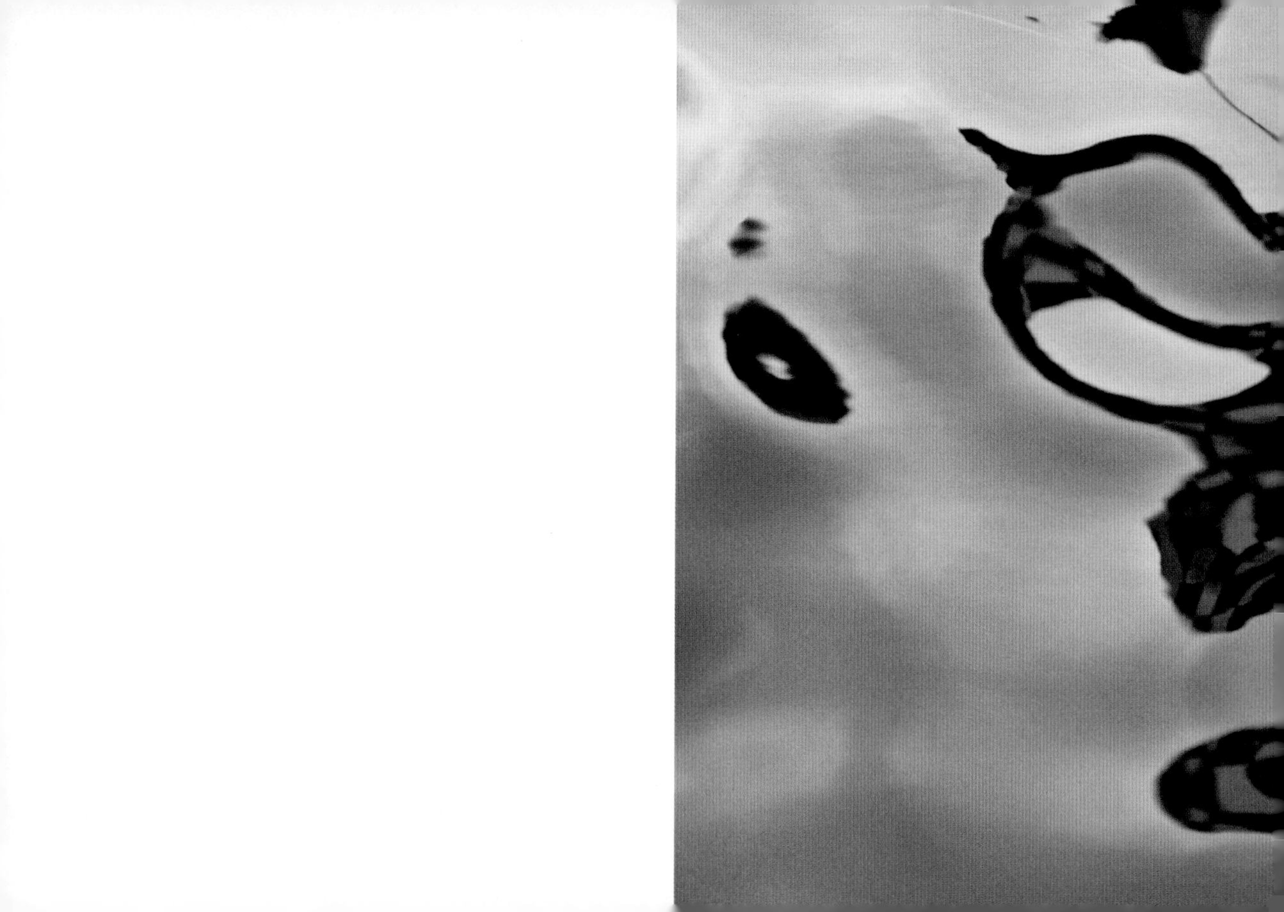

## ***Seja verdadeiro*** consigo mesmo

Para mostrar o sucesso que não têm,
Muitas pessoas vivem se enganando.
No começo, mentem para os outros,
Depois, mentem para si mesmas.
Com o passar do tempo, tornam-se escravas
das mentiras que criaram.

As coisas mais **importantes** da vida **aprendemos com pais amorosos**

Mostrar **amor** quando estamos **amando**,

Pedir **desculpas** quando **erramos**,

Pedir **por favor** quando precisamos do **outro**,

Dizer **obrigado** quando **recebemos** algo...

Crie um tempo para você, à parte de tudo o que ama

**Você precisa de momentos para estar só, consigo mesmo...**

É no silêncio da sua alma que você descobre os melhores caminhos na vida.

# Tenha fé no seu futuro

A vida é cheia de contratempos.

Muitas vezes, as coisas não acontecem como gostaríamos,

Mas não gaste um segundo sequer reclamando da vida!

Abra os olhos para novos projetos e trabalhe com aquela certeza das manhãs,

Que iluminam os dias, mesmo sem saber o que vai acontecer.

**Realize a sua vida com *muita* paixão**

Ser feliz não significa estar alegre todos os dias,

Mas, sim, **compreender a beleza de cada momento...**

Seja ele de tristeza ou de celebração.

## Procure distinguir a realidade da imaginação

**A mente humana é pródiga em aumentar os problemas.**

Inventa traições, cria fantasmas, imagina percalços onde eles não existem.

**A mais dura das realidades é melhor do que a mais doce das ilusões.**

## Acredite sempre em você!

O medo não pode ser o seu companheiro de viagem.
No máximo, ele deve ser uma placa na beira da estrada,
Assinalando uma curva perigosa à frente.

**Não deixe o medo de errar bloquear a sua capacidade de se realizar.**

Muitas pessoas, em vez de tocar seus projetos, preocupam-se em não cometer erros...

O pior é que alguns terão sucesso nessa empreitada:

Não errarão quase nunca, mas também não conseguirão realizar o que desejam.

Quando tomar uma decisão, comprometa-se com ela

Mostre o **respeito** pelo seu propósito em todos os momentos.

**Trabalhe para realizar os seus sonhos com toda a força do seu coração.**

Nenhum obstáculo resiste a uma pessoa determinada.

Os seus erros são maravilhosas oportunidades para evoluir

Uma lição vai ser repetida até ser aprendida.

## *A vida é uma escola exigente:*

Para passar de ano precisamos fazer as lições de casa.

## Conquiste o seu futuro

Não importa de onde você vem nem onde está.

**O que importa é saber aonde quer chegar...**

E trabalhar todos os dias para que isso aconteça.

## Você tem dentro de si a capacidade de construir as suas vitórias

O que você já conquistou na vida não foi fruto do acaso.

Se, por um golpe do destino, você perder tudo o que tem,

Lembre-se:

**Nada, nem ninguém, pode destruir a sua capacidade de realização.**

## Viva de maneira que cada vitória sua seja uma conquista e exemplo para muitas pessoas

Uma mentalidade miserável cria um mundo miserável.

Comportamentos generosos criam um mundo de amor.

A **paz** é uma sobremesa que somente os **sábios** saboreiam.

Qualquer tolo pode criar problemas em tudo o que encontra pela frente e se tornar infeliz.

Um encrenqueiro não desperdiça oportunidades de criar sofrimentos.

Um neurótico é excelente para colocar mais lenha nas fogueiras das encrencas.

**Aprenda a transformar as noites de insônia em alvorada para uma nova vida.**

# Para ser feliz é preciso realizar a sua alma

Muitas pessoas criam infelicidade ao realizar
com competência um trabalho para o qual não tem vocação

Decidem ser o que não são,

Lutam para amar o que não amam,

E vivem eternamente frustradas.

## O amor é um **sentimento** que aumenta a alegria de viver.

Se você se sentir humilhado pela pessoa amada, é sinal de que alguma coisa tem de mudar.

O amor de verdade dá coragem de viajar ao infinito.

# Abra espaço no seu coração

## para que o novo possa entrar!

**Jogue fora o que não serve mais.**

Amores frustrados, projetos engavetados, oportunidades perdidas e roupas velhas devem ir para a lata de lixo.

Quando você entende o outro, começa a compreender a si mesmo...
Quando abre o coração para alguém, conhece o melhor de você.
Quando presta atenção às palavras do outro, você começa a escutar a voz do seu coração.

*A pior bobagem que você pode fazer é querer mudar alguém*

As pessoas não mudam porque precisam mudar.
Muito menos mudam porque recebem conselhos ou cobranças.
Uma pessoa só evolui quando decide cuidar da própria vida.

Mostre sempre respeito por si mesmo
Fale quando não estiver sendo respeitado.

Se o amor em forma de consideração não aparecer,
Procure pessoas que o amam de verdade.
**Tem gente que não merece o seu amor.**

## Crie paz nos seus relacionamentos

Não viva para provar que você está certo, e o outro, errado.

Quem tem amor no coração não julga os outros, não deprecia o próximo.

Certo ou errado são somente formas de se olhar a mesma coisa por lados diferentes.

**Ajude as pessoas a se sentirem importantes**

A indiferença é a forma mais dolorida de castigo...
Prestar atenção à presença de alguém
É a maneira mais simples e direta de dizer **"Eu te amo".**

## Aprenda a perdoar

O ressentimento torna a pessoa amarga...
O perdão acalma o coração.

## Seja amigo dos seus amigos

Ter a confiança de um amigo é a maior das
riquezas de um ser humano.

Um sorriso de um amigo é mais importante
do que um copo de água no deserto,

Porque são eles que carregam os nossos copos
de água na eternidade.

## Dê amor às pessoas

Não guarde os seus carinhos como um avarento guarda dinheiro.
O amor é um tesouro que aumenta quanto mais o distribuímos.

Viva em paz com a sua consciência

Respeite os seus valores,

Cuide da sua essência.

**Você é a pessoa mais importante da sua vida.**

## Simplifique a sua vida

Tanto a felicidade como o sucesso são construídos
sobre a simplicidade.
Amores complicados, chefes complicados, amigos complicados
não são bons para a sua saúde.
As pessoas que vale a pena ter ao seu lado são simples e suaves
como um entardecer.

Deixe sempre um **perfume** nos lugares por onde passar

*Que a sua presença seja um raio de luz na memória de todos aqueles que conhecer.*

A pessoa que deixa saudade no coração dos amigos sempre vai receber muito amor.

## Aceite com serenidade as perdas inevitáveis da vida

Minha **mãe** foi a minha melhor professora na **arte da superação.** Ela sempre se mostrou um exemplo de luta, e no final da vida me deu uma aula de sabedoria inesquecível.

Ela morreu de câncer. E só Deus e os filhos sabem como lutou. As metástases espalharam-se por seu corpo, a dor foi tomando conta dos seus dias. Mas nem todo esse sofrimento diminuía a sua força para lutar contra a doença. Até que um dia, enquanto eu lhe aplicava mais uma das inúmeras injeções para aliviar a dor, minha mãe me olhou com serenidade e falou:

**— Seja feita a Sua vontade...**

— O que, mãe? Não entendi... – eu disse.

E ela completou:

— Seja feita a Sua vontade, assim na terra como no céu... creio que chegou a hora de eu ir para o outro lado. Acho que Ele me quer perto dele. Meu filho, acho que é hora de parar de lutar e aceitar a minha morte.

Para mim, foi impossível aceitar sua morte, e comecei a chorar. Ela me abraçou forte enquanto as lágrimas escorriam dos meus olhos. Enxugando meu rosto, minha mãe disse:

— Filho, fique tranquilo. **Prometo que vou continuar cuidando de vocês...**



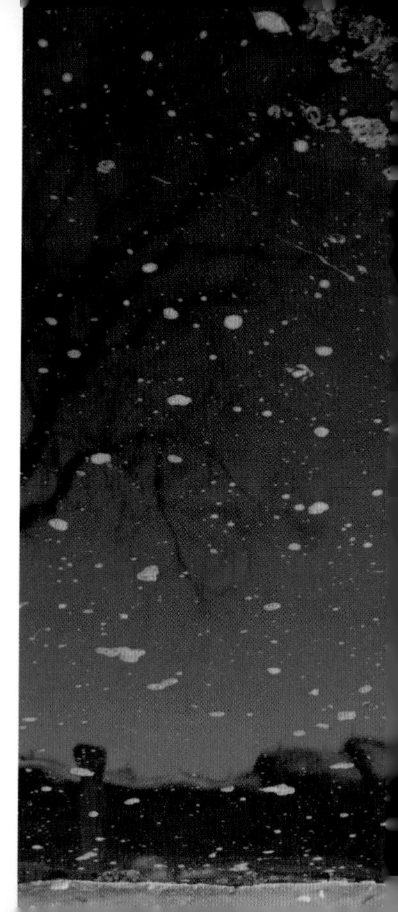

Depois desse momento, ela começou a se preparar, e a nós, da família, para a sua passagem.

**A nossa vida tem de ser um símbolo de luta** para realizarmos os nossos objetivos, mas também tem de ser um exemplo de sabedoria ao compreendermos quando é momento de aceitar o fim de um grande amor ou de assumir uma limitação da existência.

## Viva com intensidade

Não importa o que estiver acontecendo, **saboreie o momento**.

Um grande mestre estava morrendo, e uma multidão de discípulos acompanhava seus últimos momentos. Os mais próximos perguntavam ao ancião ofegante:

*— Mestre, qual é o significado da vida?*

Ele olhava todos com serenidade, mas não dizia nada. Um de seus discípulos mais queridos correu até uma doceira e trouxe o bolo predileto do velhinho, que sorriu com alegria quando o viu chegar. O rapaz sabia que ele era apaixonado por aquele bolo e lhe cortou um grande pedaço. A excitação do mestre foi tanta que ele se sentou para comer. Então, mais uma vez os outros discípulos lhe perguntaram:

— Mestre, qual é o sentido da vida?

Dessa vez, ele respondeu com um sorriso:

— O bolo está delicioso!

Os discípulos trocaram olhares e não entenderam nada. Passados alguns minutos, repetiram a pergunta. Novamente, o mestre respondeu:

— O bolo está delicioso!

**E morreu sorrindo.**

Eis o significado da vida: o bolo está delicioso.

Saboreie a vida. Aproveite cada pedaço do bolo!

Viva o momento com plenitude! Se é possível mensurar a felicidade, talvez um bom parâmetro seja a intensidade com que se vive cada momento.

As experiências que tive na vida ensinaram-me a viver cada instante com muita intensidade.

**Quando você está imerso na vida é que surge a verdadeira felicidade.**

# Seja feliz!

Roberto Shinyashiki
São Paulo, verão de 2010.

# Agradecimentos

Agradeço a todos os meus mestres da vida.

Desde as minhas professoras, no ensino fundamental, até os meus mestres espirituais, passando por todas as pessoas que cruzaram o meu caminho.

Minha gratidão à minha família e, como sempre, as minhas preces a Deus, pai todo-poderoso.

## O autor

Roberto Shinyashiki é um apaixonado pelo ser humano. Para entender melhor a alma das pessoas, formou-se em Psiquiatria, estudou Psicoterapia, tornou-se especialista em Análise Transacional e terapias corporais. Para compreender as pessoas em seu ambiente de trabalho e nas organizações, fez doutorado em Administração de Empresas, pela Faculdade de Economia, Administração e Contabilidade da Universidade de São Paulo (FEA/USP). Para conhecer a fundo a dimensão espiritual da vida, participou de retiros espirituais com sacerdotes católicos, mestres na Índia e monges Zen-budistas no Japão.

A essência desta obra são as ideias do autor a respeito de como a espiritualidade pode servir de caminho para o desenvolvimento dos verdadeiros valores do ser humano. Em suas páginas, você encontrará a síntese de todos os conhecimentos e experiências de Roberto Shinyashiki, mostrando para o leitor lições valiosas que ele aprendeu ao longo da vida.

**Contatos do autor**
www.shinyashiki.com.br
roberto@institutogente.com.br

**Gerente Editorial**
Eduardo Viegas Meirelles Villela
**Editor-Assistente**
Cláudia Elissa Rondelli
**Editor de Desenvolvimento de Texto**
Juliana Nogueira Luiz
**Editor de Produção Editorial**
Rosângela de Araujo Pinheiro Barbosa
**Assessoria Editorial**
Gilberto Cabeggi
**Controle de Produção**
Elaine Cristina Ferreira de Lima
**Preparação de Texto**
Tuca Faria
**Projeto Gráfico e Editoração**
Juliana Midori Horie/Know-how Editorial
**Capa**
Ine Nakamura e Nelise Cardoso/Estúdio Nine
**Revisão**
Eliane Paradela Arakaki/Know-how Editorial
**Fotos de capa e miolo**
Fernanda F. Genthon
**Impressão**
Arvato do Brasil Gráfica

**Dados Internacionais de Catalogação na Publicação (CIP)**
(Câmara Brasileira do Livro, SP, Brasil)

Shinyashiki, Roberto
Vivendo e aprendendo / Roberto Shinyashiki. --
São Paulo : Editora Gente, 2010.

ISBN 978-85-7312-690-7

1. Conduta de vida 2. Experiências de vida
3. Sabedoria I. Título.

10-01848 CDD-158

Índices para catálogo sistemático:

1. Lições de vida : Psicologia aplicada 158



Rua Pedro Soares de Almeida, 114
São Paulo, SP – CEP 05029-030
Telefone: (11) 3670-2500
Site: http://www.editoragente.com.br
E-mail: gente@editoragente.com.br

Este livro foi impresso pela Arvato do Brasil Gráfica em couché fosco 115g.